LIVRE DE
DÉPÔT

I1058787

© Éditions Nathan/HER (Paris-France), 2001
Conforme à la loi n°49956 du 16 juillet 1949 sur les publications destinées à la jeunesse
ISBN 209250241-7
N° projet 10080048-(I)-7 CSBTS 170° - Mars 2001
Imprimé et relié par Pollina, 85400 Luçon-n° L83218A

Lulu-Grenadine est mal lunée

Texte de Laurence Gillot

Images de Lucie Durbiano

NATHAN

Lulu-Grenadine

passe le week-end

avec son papa

et la chienne Louna.

– Tu avais promis qu'on irait
camper ! dit Lulu-Grenadine
d'un ton grognon. *grouchy -*

Papa prend tendrement
Lulu-Grenadine dans ses bras
et l'emmène devant la fenêtre :
– Regarde, petit oiseau à plumes,
il pleut !
– Sous la tente, on est à l'abri !
proteste Lulu-Grenadine.
– Tu as raison mais on ne peut
pas sortir, pas bouger. En plus,
on risque d'attraper froid...

– Eh bien moi, je veux y aller
quand même ! crie Lulu-Grenadine.
– Eh bien moi, jolie mésange, *tit bird*
je te dis que je t'emmènerai
quand il y aura du soleil dans le ciel !
   Mais Lulu-Grenadine se met
à pleurer et, de ses deux poings,
elle frappe la poitrine de son père.

– Eh ! oh !

Va taper sur ton oreiller !

lui ordonne papa en la déposant

par terre.

Lulu-Grenadine court dans sa chambre
en hurlant :
– Je ne te parle plus !
   Et elle claque la porte.

– **V**a consoler Lulu ! chuchote papa
à la chienne.

Louna file, elle pose une patte sur la poignée
et se glisse dans la pièce.

Lulu-Grenadine est recroquevillée au pied
de son lit. Louna enfouit son museau
entre ses genoux.

– Toi au moins, t'es gentille !

murmure Lulu-Grenadine en la caressant.

Viens, on va jouer.

– Toi, t'es la poupée
et moi, je suis
la maman. Oh,
je vais t'habiller,
tu es toute nue !

Lulu-Grenadine
prend une jupe
et un foulard et
elle les met à Louna.

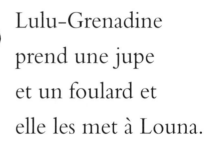

La chienne
n'aime pas du tout
ça et se sauve
au salon.

– Lulu ! appelle papa sèchement, viens ici !
Je ne veux pas que tu déguises Louna.
Elle a l'air ridicule. On n'est pas au cirque ici !

Lulu-Grenadine fixe son père
droit dans les yeux et s'écrie :

– Je veux aller au cirque !

Papa ne répond pas.

– Je veux y aller !

répète Lulu-Grenadine en lançant
ses chaussons loin devant elle.

– Mais enfin, qu'est-ce que tu as ?
demande papa.

– Avec toi, on ne peut jamais rien faire !
lance Lulu-Grenadine en sanglotant.

– Ça me rend triste, dit papa,
quand tu es mal lunée comme ça !
On ne se voit pas si souvent
et j'avais envie de passer
deux bonnes journées
en ta compagnie.

Puis papa s'installe dans un fauteuil
et feuillette un journal.
Couchée sous la table de la salle à manger,
Lulu-Grenadine boude. Elle dessine
en reniflant. Elle s'applique,
elle colorie et...
s'endort.

Papa regarde Lulu-Grenadine. Sa joue rose
repose sur une dizaine de petits cœurs
de toutes les couleurs. C'est son dessin !
Dessus, elle a écrit PAPA .
Papa chuchote avec tendresse :
– Petite belette sauvage,
je vais te préparer une surprise.

En silence, papa monte la tente igloo
au milieu du salon.
Il déplie les sacs de couchage,
installe quelques oreillers à l'intérieur
et va chercher Lulu-Grenadine.

Il la porte sans la réveiller et il sourit,
car elle a un cœur rouge imprimé sur la joue !
Puis il attend que Lulu-Grenadine se réveille
en continuant à lire tranquillement.

– Papa ! entend-il soudain.

Il se lève et passe sa tête
sous la toile. Lulu-Grenadine
lui saute au cou, elle l'embrasse,
elle le serre entre ses bras.

– On dort là cette nuit !
s'écrie-t-elle en riant.

– Bien sûr ! s'exclame papa.
Ce week-end, on avait prévu
de camper, non ?

Dans la même collection